Johann Sebastian Bach
Vinte Peças Fáceis

O Pequeno Livro de Anna Magdalena Bach

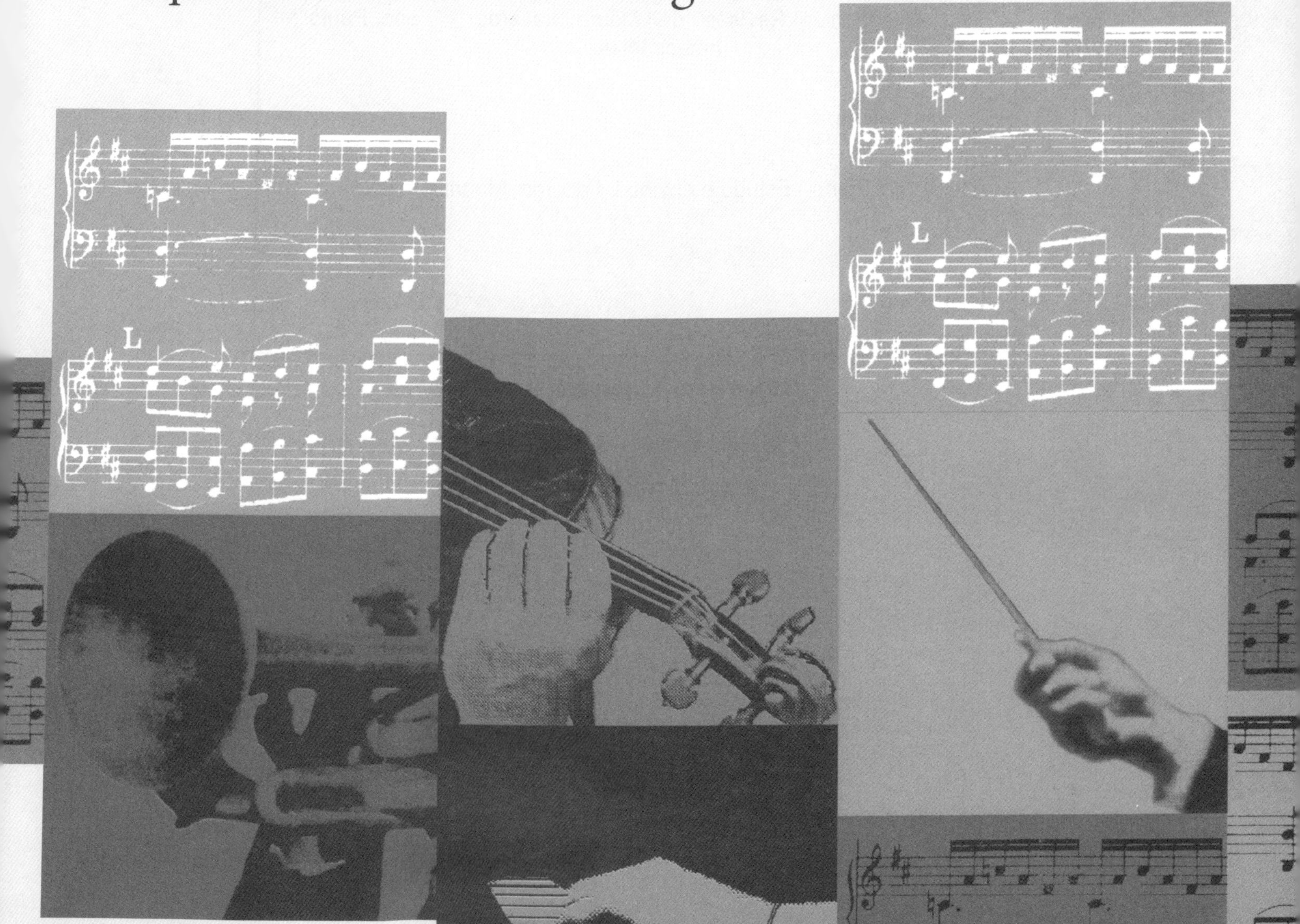

PARA PIANO
Edição Didática
Rev. Moura Lacerda

Nº Cat.: 236-M

Irmãos Vitale Editores Ltda.
vitale.com.br
Rua Raposo Tavares, 85 São Paulo SP
CEP: 04704-110 editora@vitale.com.br Tel.: 11 5081-9499

© Copyright 1965 by Irmãos Vitale Editores Ltda. - São Paulo - Rio de Janeiro - Brasil.
Todos os direitos autorais reservados para todos os países. *All rights reserved.*

Dados Internacionais de Catalogação na Publicação (CIP)
(Câmara Brasileira do Livro, SP, Brasil)

Bach, Johann Sebastian, 1685 - 1750.
O Pequeno livro de Anna Magdalena : 20 Peças fáceis para piano J. S. Bach ; Revisão de Moura Lacerda - - São Paulo : Irmãos Vitale

ISBN 85-7407-015-7
ISBN 978-85-7407-015-5

1.Piano - Estudo e ensino I. Lacerda, Moura II. Título

98-0708   CDD-786.207

Indices para catálogo sistemático:

1.Piano : Estudo e ensino : 786.207

Esta é uma edição didática — está conforme a edição da Sociedade Bach — as aparentes alterações de grafia, quando as há, são, a nosso ver, seu complemento indispensável: buscou-se com isso, esclarecer particularmente estudantes, que na maioria das vezes, por razões óbvias, não estão de todo capacitados para sua compreensão.

Portanto, encontra-se quer acima, quer abaixo das pautas, as indicações como se acham nos originais onde fundamentamos esta edição.

Exemplos - no 2.º compasso do n.º 1, encontra-se a apojatura de Bach já resolvida, vendo-se porém acima da referida apojatura, como vem a indicação do autor;

No compasso 5, a haste que se encontra acima, indica que as colcheias no autor, vem simplesmente ligadas, se não vejamos:

⌐⊓⊓⊓⌐ nos mostra que no original vem [notação musical] *etc.*; deve-se entender sob esse aspecto, todos os outros sinais que aparecem nesta edição didática.

É preciso que se tenha em mente, que embora algumas destas pequenas peças, tenham possivelmente origem em canções da época, foram entretanto, escritas para serem tocadas ao cravo, assim como a presente edição é compilada para ser executada ao piano, a qual evidentemente, deve subordinar-se à particularidades deste — o mesmo fenômeno deve ser observado com relação aos ornamentos e o fraseio, que igualmente devem subordinar-se à música, independentemente das várias maneiras de resolvê-los, ou entendê-los que as diferentes escolas sugerem.

Moura Lacerda
1966

O pequeno livro de Anna Magdalena
20 Peças fáceis

Edição didática de
MOURA LACERDA

J. S. BACH

Minueto (III)
Allegretto

Minueto (VII)
Con moto

(★) Polonese
Moderato

(★) Esta Polonaise encontra-se despida das bordaduras de Bach, encontrando-se porém, seguidamente, a Polonaise original e sua variante. *M.L.*

Polonese (XIX)
Moderato

14

Solo para Cembalo

Minueto (XXXVI)
Allegretto